¡ESTA CASA ES MÍA!

DIRECCIÓN EDITORIAL: Adriana Beltrán Fernández
COORDINACIÓN DE LA COLECCIÓN: Karen Coeman
ASESORÍA EDITORIAL: Dolores Prades
CUIDADO DE LA EDICIÓN: Olivia Villalpando y Ariadne Ortega
DISEÑO DE PORTADA: Guillaume Vaugrante y Sara Miranda
FORMACIÓN: Sofía Escamilla
TRADUCCIÓN: Beatriz Peña

¡Esta casa es mía!

Título original en portugués: *Esta casa é minha!*

Texto D. R. © 2008, Ana Maria Machado
Ilustraciones D. R. © 2012, Veridiana Scarpelli

PRIMERA EDICIÓN: noviembre de 2012
CUARTA REIMPRESIÓN: abril de 2017
D. R. © 2012, Ediciones Castillo, S. A. de C. V.
Castillo ® es una marca registrada.

Insurgentes Sur 1886, Col. Florida.
Del. Álvaro Obregón.
C. P. 01030, México, D. F.

Ediciones Castillo forma parte del Grupo Macmillan.

www.grupomacmillan.com
www.edicionescastillo.com
infocastillo@grupomacmillan.com
Lada sin costo: 01 800 536 1777

Miembro de la Cámara Nacional de la Industria Editorial Mexicana.
Registro núm. 3304

ISBN: 978-607-463-715-1

Impreso en México / *Printed in Mexico*

ANA MARIA MACHADO
Ilustraciones de **VERIDIANA SCARPELLI**

¡ESTA CASA ES MÍA!

S
xz
IR
M

CASTILLO DE LA LECTURA

4

Paula y Beto vivían
con sus padres en un
departamento. Y querían
tener una casa de campo.

Les encantaba salir a pasear los fines de semana. Iban a la casa de los abuelos, al parque, al cine.

A veces hacían viajes en coche más lejos. A la casa del tío, o por una larga carretera, que acababa en una playa casi desierta, donde pasaban todo el día.

Un domingo en esa playa,
mientras Paula y su hermano
jugaban cerca del mar, el
padre se puso a hablar con un
pescador, al lado de una canoa,
debajo de un árbol.

Mientras volvían a casa, su padre les contó a sus hijos:

—¿Me vieron hablar con Zé Juca?

Pues miren, estoy pensando comprar ese terreno que tiene al lado de la playa...

—¿Un terreno?, ¿cuál?, ¿para qué?

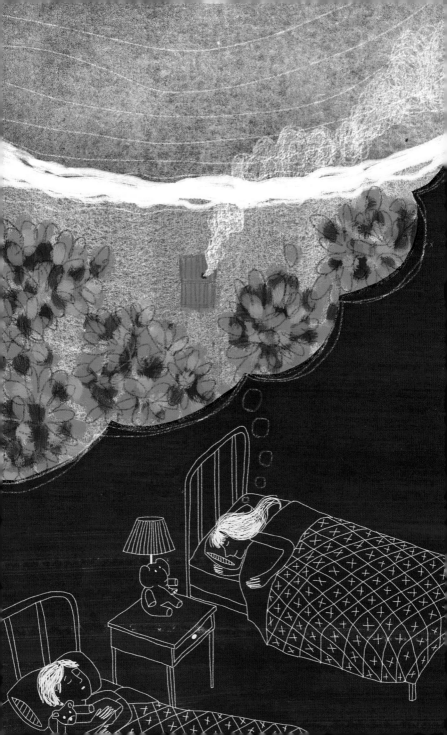

Después de un montón de preguntas y respuestas, Paula soñó esa noche con lo que su padre les había contado: iban a tener una casita rodeada de árboles, frente al mar. Como si la playa y ese bosque fueran un patio inmenso, sólo para ellos.

Otro domingo fueron de nuevo para allá.
Esta vez, Paula y Beto ya miraban todo
con ojos de quien es el dueño.

Una banda de cotorras hacía ruido en los árboles. Una ardilla salió asustada por la tierra, yendo de un árbol a otro.

Un reyezuelo asustadizo y un bien-te-veo
ruidoso volaban de un lado para otro.
En la arena, un cangrejo amarillo hacía
un hoyo.

En lo alto de un árbol, una banda de micos
chillaba y hacía monerías.
A todos ellos, Paula y Beto gritaban:
—¡Aquí va a estar mi casa!

Y esto mismo pasó durante varios meses. Siempre iban allí. Los padres se quedaban supervisando la obra, mientras que los niños jugaban en aquella maravillosa playa.

Un montón de veces. Sólo ellos, unos pescadores y muchísimos animales.

Peces, mariscos y cangrejos en el mar. Lagartijas en las piedras. Micos y ardillas en los árboles, hormigas y cucarachas en la tierra, abejas y mariposas en las flores, todo tipo de pajarillos en el cielo.

A todos ellos, Paula y Beto les decían:
—¡Esta casa es mía!
Cuando por fin la casa estuvo lista, la
familia empezó a ir allí todos los fines
de semana.

Y se fueron instalando,
llenos de ideas.
—¡Vamos a tener un perro!
—¡Y un gato!

—¡Vamos a limpiar esos matorrales
alrededor de la casa para poner pasto!

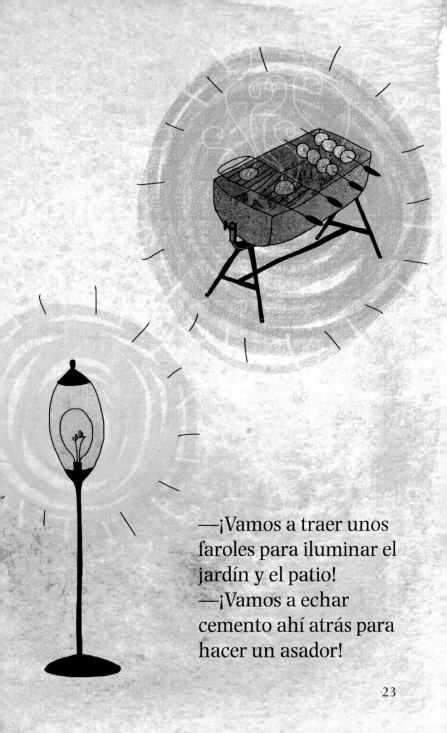

—¡Vamos a traer unos
faroles para iluminar el
jardín y el patio!
—¡Vamos a echar
cemento ahí atrás para
hacer un asador!

23

Como si la madre, el padre, Paula y Beto,
todos estuvieran diciendo:
—¡Esta casa es mía!

Estaban tan animados que no se fijaron
en los cambios.
La ardilla no había vuelto a aparecer.
Debía tener miedo del perro.
El gato había hecho desaparecer a
los lagartos.

Los chillidos de los micos cada vez venían
más lejos de los árboles.
¿El cangrejito amarillo haciendo un hoyo?
Ahora solo en la arena de la playa.

Aquellas frutas de los matorrales,
que los pájaros comían, también se
acabaron cuando el matorral quedó
apartado. Y menos pájaros venían
a cantar al patio.

Pero la familia ni se enteraba. Traían
amigos los fines de semana. Hacían asados.
Ponían en marcha el coche con la música
bien alta.

Por la noche, encendían todas las luces,
los ventiladores y el aire acondicionado.
Ya ni siquiera oían el susurro del mar a
la hora de dormir.

Un día, al padre le ofrecieron un trabajo en otra ciudad. Iban a tener que mudarse y vivir allí durante uno o dos años.

31

Iban a estar mucho tiempo lejos de la
casita de la playa, de su perfume de mar,
del ruido de las olas, de los pájaros.
Iban a sentir mucha nostalgia.
Dejaron al perro y al gato con unos
amigos en la ciudad.

Y pidieron a Zé Juca que cuidara de todo en la playa, para que cuando volvieran, pudieran decir con alegría:
—¡Esta casa es mía!

Cuando por fin volvieron, casi
se asustaron.
Los matorrales habían crecido
de nuevo y llegaban cerca de
la puerta de la casa. Había una
colmena en un árbol. Un nido
de reyezuelos en la barandilla.

Una casa de golondrinas en el tejado.
Hormigas en la cocina. Sapos en el jardín.
Una familia de lagartos instalada en las
piedras detrás del asador.

Los focos de los faroles estaban quemados y Zé Juca no los había cambiado por nuevos.
—Zé Juca, pero si había focos nuevos en casa. ¿Por qué no los cambiaste?

—¡Uy, pero si el que quitó los focos fui yo…
El padre se fijó y vio que realmente no
estaban quemados, los habían quitado.
—¿Pero, por qué?

—Por las tortugas. Primero vino la madre, nadando desde lejos, como hace todos los años. Puso un montón de huevos en la arena. Pasó un tiempo ahí, el sol calentaba los huevos todo el día.

Después llegó el momento de que las crías
nacieran. Entonces retiré los focos, para
que no pensaran que era la luz de la luna
en el mar. Si no, hubieran ido hacia la
casa en vez de al agua...

El padre refunfuñó por la explicación,
y siguió quejándose:

—Zé Juca, ¿no te pedí que cuidaras de la
casa?, ¿que cuidaras de todo...? ¿Cómo
has dejado que todo quedara así?

—Pero doctor, yo lo he cuidado. Sólo
que cuidé de todas las casas, no sólo de
la suya.

El padre se estaba enojado. El pescador
debía estar loco.

—Aquí hay sólo una casa. Ésta de aquí,
que resulta ser la mía.

Pero Paula, que había ido hasta el patio y
había vuelto, de repente lo entendió todo
y dijo:

—No es verdad, papá. Sólo tienes una
parte. Ven a ver.

Los niños tomaron las manos de sus padres y tiraron de ellos, mientras les iban señalando.

—¡Shhh! ¡No hagan ruido! Escuchen.

Y escucharon. Las cotorras gritaban, los micos chillaban, las abejas zumbaban. Un montón de pajarillos cantaban.

Al fondo, se oía el susurro del viento entre las hojas. Y el mar, ola va, ola viene, golpeando la arena y las piedras.

—¿Oyes?
—Sí, oigo, ¿qué pasa?
—¿No entiendes lo que están diciendo?
Todos pararon para prestar atención.
Y enseguida oyeron:
—¡Esta casa es mía!

Todos estaban diciendo lo mismo. No así, no con el lenguaje de las personas, sino con el lenguaje de los animales, cantos, zumbidos, chillidos y gritos.

Ruidos que no son palabras,
pero son la forma de hablar
de los pájaros, abejas, micos
y catarinas. Pero quieren
decir lo mismo.

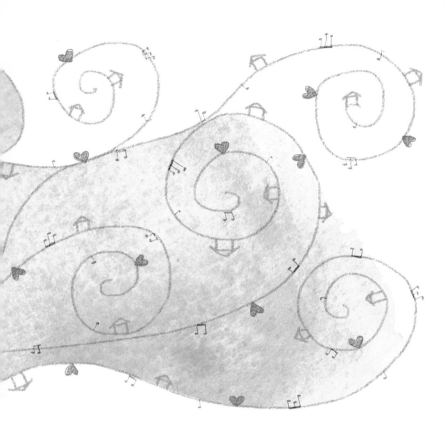

Hasta en silencio, todos querían decir
lo mismo. Cada uno a su manera, la
ardilla que corría por el árbol, el cangrejo
amarillo que dejaba el rastro en la arena,
la tortuga que levantaba la cabeza en la
espuma de la ola, la banda de gaviotas
que se zambullían en el mar, las hormigas
que trabajaban en hileras por encima de
las piedras, el viento, el mar.

Hasta los matorrales que llegaban más cerca del jardín se inclinaban hacia el pasto o se alargaban hacia el sol.

La familia fue prestando atención y oyendo lo que cada uno decía:
—¡Esta casa es mía!
De repente, Paula empezó a responder:
—¡Pero esta casa también es mía!

Beto siguió con la broma:

—Eh, que somos vecinos, ¿no lo sabían?

El padre habló:

—¡Esta casa es nuestra!

Y la madre comentó:

—Zé Juca cuidó muy bien de todas las casas, de todo el mundo...

Desde que aprendieron a oír el lenguaje de todos los vecinos, son mucho más cuidadosos. Porque saben que hicieron su casa en el patio de otros. Un patio grande, con lugar para todos los que saben oír:

—¡Esta casa es mía!

Impreso en los talleres de
Editorial Impresora Apolo, S.A. de C.V.
Centeno 150 L-6 Col. Granjas Esmeralda,
Del. Iztapalapa, C.P. 09810. México, D. F.
Abril de 2017.